Gilbert **Delahaye** ◆ Marcel **Marlier**

martine

fête maman

casterman

Martine

Joyeuse et curieuse, Martine adore s'amuser avec ses amis et son petit chien Patapouf. Ensemble, ils découvrent le monde et vivent de véritables aventures. Une chose est sûre : avec Martine, on ne s'ennuie jamais !

Mamie et papi

Alice

Les grands-parents de Martine aiment lui faire découvrir de nouvelles choses : le vélo, la cuisine, les animaux… Et ils n'oublient jamais de lui offrir de petits cadeaux !

Alice est le petit sœur de Pauline et la cousine de Martine et Jean. Très curieuse elle s'intéresse à tout et pose mille questions. Mais surtout, elle admire beaucoup ses grands cousins.

Patapouf

Ce petit chien est un vrai clown ! Il fait parfois des bêtises… mais il est si mignon que Martine lui pardonne toujours !

– Bientôt, ce sera la fête
de maman, dit Martine à Jean.
Si on lui faisait une surprise?
– Oui! Pourquoi pas une jolie montre?
– Je ne crois pas avoir assez de pièces
dans ma tirelire…
– Il y en a combien?
– Bonne question, répond Martine en vidant le petit cochon.
On va compter ensemble.

Martine a vingt-sept pièces dans sa tirelire, mais cela ne fait pas beaucoup d'argent.

– Je sais ! dit-elle. Et si on allait au magasin des disques d'occasion ? Maman adore la musique…

Arrivés au magasin, les enfants expliquent à la vendeuse :

– Notre maman a gardé son vieux tourne-disque. On peut écouter cette chanson ?

L'air est entraînant ! Mais quand la vendeuse annonce le prix, les enfants enlèvent leurs écouteurs : ils n'ont toujours pas assez d'argent.

– Pourquoi pas une bague ou un collier?
propose Jean. Maman les porterait pour
aller au travail.

– Les bijoux, c'est encore plus cher…
soupire Martine.

– Un parapluie, alors?

– Bof… Pas très amusant…

Le lendemain, Martine et Jean vont chez papi et mamie pour jouer avec leurs cousins.

– Tu fais, quoi, Pauline ? demande Martine.

– Je brode un foulard ! C'est mamie qui m'a montré comment faire…

– Magnifique ! Voilà ce qu'on devrait offrir à maman !

D'abord, Martine et Jean cherchent un grand morceau de tissu dans le grenier.

– Il nous faudra aussi de la teinture, dit Martine. Et de la cire.

– De la cire ? demande Alice. On n'en a pas… et pour quoi faire ?

– Pour pouvoir dessiner des motifs. Je connais une technique, tu vas voir. Il suffit de trouver des bougies. On les fera fondre !

Pour décorer le foulard, les enfants ont décidé de dessiner un paon.

– C'est le plus beau des oiseaux, déclare Martine, avec toutes ses couleurs quand il fait la roue.

Il faut bien s'appliquer pour tracer la tête, le bec, les pattes, les plumes…

Ensuite Jean n'a plus qu'à verser la cire sur les lignes, à l'aide d'un petit entonnoir.

– Fais bien attention, prévient Martine, la cire fondue est brûlante !

– Maintenant, on trempe le tissu dans la teinture, dit Martine.

– À quoi ça sert ? demande Alice.

– Ça colore le dessin aux endroits où il n'y a pas de cire.

– Attention, Moustache ! prévient Jean. La teinture, ça tache !

– Tu ne voudrais pas avoir la truffe en couleur, n'est-ce pas ?

– Reste à passer le foulard dans l'eau chaude, annonce Martine.

Ça fera fondre la cire.

Ça y est, le travail est terminé !

– Ce foulard est encore plus beau que ceux qu'on trouve dans

les magasins ! dit Alice, pleine d'admiration.

– Bravo ! lance le grand-père quand il voit l'œuvre de ses petits-enfants. Un conseil : retrempez le tissu, mais dans l'eau froide cette fois.

Papi a raison : les couleurs sont encore plus belles !

– Dommage qu'on ait déjà fini… soupire Martine. C'est tellement chouette de fabriquer un cadeau !

– Pourquoi ne pas en faire un deuxième ? propose papi.

– J'ai un vieux coucou que vous pourriez
réparer… continue-t-il.
– Un coucou ? demande Alice. C'est quoi ?
– Une pendule en forme de maison.
Et toutes les heures, un oiseau
surgit par la petite porte en faisant :
« Coucou ! Coucou ! »

Les enfants aident leur grand-
père à mettre de l'huile
et à resserrer les vis.
Puis à trois heures
pile : « Coucou !
Coucou ! »
– Ça marche !

– Comment faire pour remporter le coucou à la maison ? demande
Jean. Maman ne doit pas le voir avant demain…

– Je sais ! dit Martine. Il y a une bassine au grenier. On va le cacher
à l'intérieur ! Mais avant, dépoussiérons-la un peu et faisons-la briller !

Il est temps de rentrer à la maison.

Martine et Jean installent le coucou et le foulard au fond de la bassine,

puis ils les recouvrent d'un torchon.

– Aide-moi à tenir l'anse, dit Martine à son frère. On ira plus vite !

Patapouf court joyeusement devant eux : lui aussi est complice

de la surprise !

Quand ils arrivent à la maison, les enfants filent à la cabane à outils.

– On va cacher le coucou ici, décide Martine.

– Et mieux vaut fermer à clé, comme ça personne ne pourra entrer.

Personne ? Vraiment ? Pourtant Moustache observe avec attention

la fente en bas de la porte… Elle semble juste assez haute

pour qu'il s'y glisse !

Le lendemain matin,
dès sept heures :
« Coucou ! Coucou ! »
Moustache saute sur
la pendule ! Il est bien
décidé à l'attraper,
cet oiseau !

Il grimpe sur le toit et attend…
  Plusieurs minutes passent.
   Toujours rien.
     Mais à huit heures… « Coucou ! »
    L'oiseau surgit de la petite trappe
     et Moustache détale, pris de
      panique, entre les jambes
       de la maman de Martine.
      – Qu'est-ce qui se passe, enfin ?
s'écrie-t-elle étonnée.

– Qui a verrouillé la cabane à outils ? demande-t-elle en constatant
que la porte est fermée. Martine ! Jean !

Les enfants n'osent pas répondre. Leur maman insiste :

– La clé a disparu. Vous ne l'avez pas vue ?

Martine serre le trousseau qu'elle tient dans son dos.

« Pas facile de mentir à maman… pense-t-elle. Mais si on avouait,
ce ne serait plus une surprise ! »

Martine et Jean décident de confier leur secret à papa.

– Excellente idée, cette surprise ! approuve-t-il.

– Et toi ? Tu offres quoi à maman ?

– Un beau stylo, et je voudrais aussi lui acheter des fleurs.

Venez avec moi au marché, nous les choisirons ensemble.

Enfin, toute la famille se réunit pour la fête.

– Bonne fête, maman! dit Jean en lui offrant un paquet joliment emballé.

Elle défait le ruban, déchire l'emballage et…

– Oh… un foulard! Merci!

– Fait maison! assure Martine.

– Il est superbe! se réjouit sa maman. Quelles magnifiques couleurs!

Et le paon est mon oiseau préféré!

– Attends, ce n'est pas tout… ajoute Martine.

Elle sort la pendule de la marmite.

– Un coucou ! Quelle belle surprise !

– Papi nous a aidés à le réparer. Il est comme neuf…

Pile à cet instant, l'oiseau jaillit de sa maison : « Coucou ! Coucou ! »

« Miaou ! » répond Moustache, comme pour dire : « Allez, je te laisse

tranquille… tu fais partie de la famille maintenant ! »

Et tout le monde éclate de rire.

Retrouve **martine** dans d'autres aventures !

martine à la ferme

martine en voyage

martine à la mer

martine au cirque

martine vive la rentrée !

martine à la fête foraine

martine fait du théâtre

martine à la montagne

martine fait du camping

martine en bateau

martine et les quatre saisons

martine à la maison

martine au zoo

martine fait les courses

martine monte à cheval

martine au parc

martine garde son petit frère

martine fête son anniversaire

martine jardine

martine fait du vélo

martine petit rat de l'opéra

martine à la fête des fleurs

martine fait la cuisine

martine apprend à nager

martine est malade

martine en vacances

martine prend le train

martine fait de la voile

martine fête maman

martine à l'école

martine découvre la musique

martine a perdu son chien

martine dans la forêt

martine et le cadeau d'anniversaire

martine un mercredi pas comme les autres

martine la nuit de Noël

martine se déguise

martine et les lapins du jardin

martine baby-sitter

martine au pays des contes

martine et les marmitons

martine prépare une surprise

martine l'arche des animaux

martine princesses et chevaliers

martine et les fantômes

martine un amour de poney

martine la dispute

martine drôle de chien !

Casterman
Cantersteen 47
1000 Bruxelles

www.casterman.com

ISBN : 978-2-203-10677-2
N° d'édition : L.10EJCN000491.C002
© Casterman, 2016
D'après les albums de Gilbert Delahaye et Marcel Marlier.
Achevé d'imprimer en décembre 2016, en Italie.
Dépôt légal : mars 2016 ; D.2016/0053/96
Déposé au ministère de la Justice, Paris (loi n°49.956
du 16 juillet 1949 sur les publications destinées à la jeunesse).